KB171497

남이섬 여행
1박2일

작가 박수연

목차

프롤로그

새로운 한해가 오는가 하면 벚꽃이 피고 있다.
반듯한 시절은 조금의 시간을 기다려 주지 않는다.
늘 소리 없이 가고 없다.
미련도 아쉬움도 없다는 듯하다.
봄꽃이 흐드러지게 피었다 싶으면 지고 없다.
작년에 보았던 꽃인데 해년마다 신비롭다.
한송이 한송이 꽃잎마다 환상적이다
시간이 빠르게 가고 있다. 어영부영 달력이 넘어가고 있다. 지나가는 시간속에 추억이 되어 흘러가고 있다.
올 3월 여행을 다녀왔다.
남이섬 1박2일이다.
지인들과 함께한 여행을 기록한다
잘 짜인 시간표덕에 다양한 체험을 했다.
자전거 타기. 네컷 사진찍기. 음악 박물관
관람을 했다.
소중한 추억을 기록으로 남긴다.

1.남이섬 여행

한해가 지나면 올해는 더 좋은 일이 있겠지...
하는 희망이 있다.
살아 보면 반복되는 연장선일 뿐이다.
새로운 해가 있어 희망을 갖고 다짐을 한다.
올해도 한해의 시작을 새싹이 알린다.
4장의 달력이 넘어가고 있다.
변함없이 해야 할 과제가 매일 생긴다.
아마도 산다는 것은 움직임인가 보다.
분주하게 살아가는 모두의 삶이 존경스럽다.

봄날에 남이섬을 다녀왔다.
사연이 있고 일상이 바쁜 지인들과 함께 했다.
남이섬은 가보고 싶은 곳이었다.
50중반에 처음 가보는 섬이다.
젊음이 느껴지고 강변가요제가 생각나는 곳이다.
기대가 된다.
간단한 짐을 챙기고 1박2일 여행 준비를 한다.
올해는 마음을 비우고 싶은 해이다.
성숙한 어른이 되고 싶다.
여행할 기회를 자주 갖으려 한다.

2.만남

남이섬을 가는 날이다.
아침 일찍 움직였다.
환절기면 감기가 유행한다.
우리가족에게도 왔다.
아들에게 오더니 내게 근육통이 왔다.
약을 지어 먹고 남이섬 여행길에 나섰다.
남이섬은 경춘선을 타고 간다.
상봉역에서 지인을 만나기로 했다.
역에 도착하니 지인이 기다리고 있다.
멀리서 알아보고 반갑게 손짓을 한다.
경춘선으로 환승을 했다.
가평역으로 간다.
전철 밖으로 보이는 산과 들이 편안해 보인다.

3.가평

여행은 세 명이서 했다.
경춘선에서 마지막 멤버까지 합류를 했다.
하고 있는 일이 비슷해서 마음이 통한다.
새로운 배움을 좋아 하는 분들이다.
실천하고 지식을 나누는 것을 좋아한다.
내게도 도움을 주는 분들이다.
서로의 일상 이야기를 듣다 보면 같은 듯 다르다.
누구에게나 사연이 있다.
사는 것은 만만치 않다.

완숙되어 가는 사람들의 성숙한 여행이 될 것 같다.
가평역에서 내렸다.
역에서 나오니 교통이 편리하게 되어 있다.
평일이어서인지 사람들이 많지 않다.
공기가 신선하고 한가롭다.
신호등을 건너니 택시들이 줄지어 있다.
택시를 타고 선착장까지 이동하기로 했다.

4.선착장

택시에 오르고 5분 남짓 갔다.
몇 마디 말을 나누는가 싶더니
도착이다.
남이섬 선착장에 와 보니 강바람이 상쾌하다.
촉촉한 수분이 더해져 마음을 정화 해 주는 느낌이
다.
하늘은 파랗고 구름은 솜이다.
지인들도 좋아 한다.
강물이 맑다.
외국 관광객들이 많다.
즐거워하는 모습이다.

5.남이섬

표를 사고 배를 기다렸다.
여행객들이 분주했다.
줄지어 있던 사람들이 배에 모두 오르니
남이섬을 향해 배가 움직이기 시작한다.
우리도 배에 오르고 2층으로 올라갔다.
사진을 찍었다.
하늘이 시원하다.
주변이 아름답다.
스마트폰을 부지런히 움직이는 모습들이다.
소리 없이 흐르는 물을 보니 편안해진다.
짧은 강하나 건너고 있을 뿐인데 일상이 잊힌다.
신선한 강바람을 좋다.
짧은 시간이다.

STAY

6.식사 한식 파전 잣막걸리

남이섬에 배가 닿았다.
기분이 좋다.
그 유명한 남이섬을 왔다.
이곳을 여행지로 추천하고 함께 한 지인에게 감사했다.
줄지어 있는 나무들이 눈에 들어온다.
길을 따라 걸었다. 겨울연가 촬영지답게 간간이 눈사람이 보인다.
처음 온 섬의 크기가 가늠이 되지 않는다.
지인의 안내에 따라 걸었다..
1박2일 여행 계획대로 이동을 했다.
점심 식사는 한식이다.
파전과 불고기 잣막걸리로 했다.
음식점을 찾아 들어 갔다.
한가롭다. 주인이 친절하게 대해 준다.
여유롭게 담소를 나누며 식사를 했다.
섬 안에서 1박을 한다고 생각하니 마음이 편했다.
내일까지 남은 시간이 여유롭다.
서울에서 가까운 곳이었다.
식사를 하고 밖으로 나왔는데도 해는 기울지 않았다.

南門
남이섬
잣
막걸리

7.숙소

식사를 마치고 짐부터 풀기로 했다.
숙소 이름은 정관루었다.
숙소 입구에 장작이 타고 있다.
나무 타는 냄새가 진하게 난다.
호텔 안으로 들어갔다.
카운터의 안내를 받았다.
숙소는 따뜻한 온돌방이었다.

두꺼운 요아래로 손을 넣고 모두가 흡족해 했다.
짐을 풀고 각자가 잘들 이부자리를 정리했다.
1층에 자리 잡은 방이다
바깥 풍경이 잘 그려진 액자 같다.
창문을 열고 넓게 펼쳐진 밖을 바라보았다.
금방이라도 봄꽃이 필 것 같다.
춥지도 덥지도 않은 날씨...
사계절의 모습을 상상했다.
꽃이 피고 녹음이 우거지고 눈이 내린 풍경은 어떨지......
해가 기울어져 어둠이 내리고 있다.
남이섬의 밤거리구경을 하고 커피를 마시기로 했다.
우리는 밖으로 나갔다.

215

POCARI
SWEAT

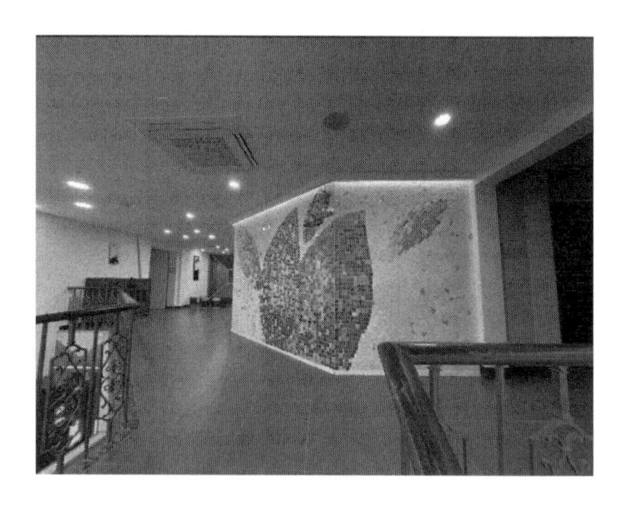

8.커피 현재 미래

숙소 밖으로 나오니 장작 타는 냄새가 난다.
어둠이 내린 밤거리가 되어 있다.
섬은 조용해졌다.
커피숍을 찾아 들어 갔다.
우리는 초코라떼를 주문했다.
달달한 맛이 생각보다 좋다.
가족을 챙기지 않아도 부담감이 없다.
여행의 맛이다.
느긋하게 이야기를 나누었다.
현재의 처한 이야기와 미래 이야기다.
언제나 일은 뜻대로 되지 않는다.
예상치 못한 일들을 감당해야 한다.
산다는 것은 시간을 살아내는 것 같다.
켜켜이 모인 시간이 여기까지 오게 되었다.
매해 희망을 바랄뿐이다.
올해도 그렇다.

9.저녁 숙소

저녁 8시 30분...
커피숍 문을 닫을 시간이라고 한다.
자리에서 일어났다.
밖으로 나와 편의점을 찾아보았다.
숙소에서 먹을 만한 과자를 샀다.

따뜻한 방이 기다리고 있다.
두꺼운 이불이 마음에 든다.
몸을 씻고 이야기를 나누었다.

친구는 가지고 온 노트북을 이용해 일을 한다.
통화를 반복하며 일을 무리 없이 마친다.

우리들의 이야기는 이어진다.
정해진 이야기가 있는가도 아닌데.....
인생의 행복 기쁨 실패 후회가 있다.
누구에게 배운 적도 복습도 없는 날들이었다.
인생 중반에 알아 간다.
산다는 건 고단한 일이었다는 걸...
그렇지만 감사하다.
한사람씩 잠이 든다.

10.아침 산책

눈을 뜨니 고요하다.
통유리로 된 창밖이 시원하게 눈에 들어온다.
아침산책하기에 좋아 보인다.
나무들의 자태가 아름답다.
수분을 머금은 새벽 공기가 느껴진다.
우리는 산책을 하러 밖으로 나왔다.
강가를 길 삼아 걸었다.
산책하는 사람은 우리뿐인 듯하다..

지인 중 한명은 남편과의 옛 추억을 회상했다.
우리는 그 장소에서 사진을 찍었다.

누구에게나 애틋한 추억이 있다.
추억은 많을수록 좋은 것 같다.
내게 추억이란 사람을 기억하는 것 같다.

신선한 아침 공기와 강물이 한가롭다.

11.조식

한가롭게 아침산책을 했다.
숙소로 돌아 왔다.
아침 조식은 예정된 호텔식당이다.
식당으로 향했다.
식당은 먼저 온 손님들이 북적인다.
자리를 안내 받고 메뉴를 보았다.
빵과 커피. 죽. 북엇국이다.
각자 다른 메뉴를 선택했다.
나는 북엇국을 택했다.
정갈하고 간이 잘 맞다.
북엇국이 인가가 좋아 보인다.
식사 후 향기 좋은 커피를 먹을 수가 있다.
일하는 분들이 친절하다.
아침 식사를 마치고 숙소로 돌아 왔다.

12.퇴실 자전거 타기

차려진 아침을 먹으니 여행이 좋긴 했다.
집안일에 대한 긴장감이 없다.
모두가 해방감을 느낀다.
숙소에 들러 몸단장을 했다.
방 정리를 하고 퇴실이다.

섬은 천천히 나가기로 했다.
섬 안에서 할 수 있는 것을 알아보았다.
젊은이들이 자전거를 타고 있다.
우리는 자전거를 타기로 했다.
대여소를 물어 보았다.
그리 멀지 않은 곳에 있다.
대여소의 직원의 안내를 받았다.
자전거를 타고 길을 따라 페달을 밟았다.
바람을 가르며 앞으로 나간다.
상상했던 것보다 좋다.

13 음악 박물관

음악 박물관이라는 푯말이 눈에 들어온다.
예정에 없던 곳이었다.
지하로 연결되어 있는 곳으로 내려갔다.
.우리나라 전통가요 역사관일까...??
하는 생각이 들었다.

박물관을 둘러보는 사람이 많지 않다.
적막이 흐를 만큼 조용하다.
지하에 있는 박들관은 통로로 연결 되어 있다.
여러 나라의 악기들이 있다.
신기한 악기들이 많다.
처음 보는 악기가 더 많을 정도이다.
강변가요제의 뜨거운 열기가 느껴진다.
잊혀진 가수들의 사진이 전시되어 있다.
사진속 낯익은 얼굴이 눈길을 끈다.
tv에서 노래 부르던 젊은이들이 생각났다.
풋풋한 청춘들이 열창하던 기억이 떠올랐다.
가수들의 얼굴을 천천히 둘러보았다.
들어 와 보길 잘 했다는 생각이 든다.

장 덕

14.커피 빵

음악 박물관을 나오니 제법 사람들이 많아졌다.
배가 사람들을 실어 나르고 있다.
외국 관광객들이 많다.
주변 경치를 구경한다.
사진을 찍으며 즐거워한다.
이른 오전 햇살에 좋다.
커피숍을 들어갔다.
산과 강이 한눈에 들어온다.
넓은 키피숍은 중년으로 보이는 시랍들이
많다.
푹신한 소파가 있고 나무로 만들어진 탁자가 보인
다.
빵을 고르고 분위기 좋아 보이는 자리를 잡았다.
잔잔한 음악이 흐른다.
서두르지 않고 느긋한 마음으로 분위기를 느꼈다.
인생은 흐르는 대로 사는 것이 아닐까....
우리는 인생이란 강물에서 만났다.
남이섬을 함께 흐르고 있다.

15.네컷 사진 찍기

배를 타면 섬에서 나가게 된다.
선착장으로 가는 길에 네컷 사진 찍기가 보인다.
우리도 해 보기로 했다.
사진관 안으로 들어갔다.
분장 할 수 있는 다양한 도구들이 있다.
처음 해보는 것이라 낯설다.
웃는 표정을 하고 어설픈 포즈를 잡았다.
모두 해 맑게 잘 나왔다.
기분이 좋아졌다.
하하 호호 즐겁다.
사진관을 나왔다.
남이섬을 나가는 선착장으로 향했다.

16.선착장

네컷 사진 찍기를 하고 선착장으로 가는 길은 멀지 않았다.
처음 와 본 남이섬
1박2일 시간을 보냈다.
아깝지 않은 시간이었다.
남이섬에서 숙박을 한 것은 잘 한일 같다.
좋은 이유는 이렇다.

1.저녁과 이른 새벽을 조용하게 보낼 수 있다.
2.아침산책을 할 수 있다.
3.호텔에서 조식을 먹을 수 있다.

흙길을 따라 선착장에 다다랐다.
배가 들어 왔다.
나가는 배에 몸을 싣고 2층으로 올라갔다.
하늘을 올려다보니 맑다.
흐르는 강을 가로 지르며 배가 도시로 간다.

17 .닭갈비 막국수

배는 얼마 가지 않아 육지에 도착했다.
헤어지기 전 밥을 먹기로 했다.
예정 했던 대로 닭갈비와 막국수 집을 들어 갔다.
닭갈비집이 주변에 많다.
1박2일이 지나고 있다.
여행 중 차려진 음식을 먹었다.
집으로 귀가 전 마지막 식사이다.
아쉬움을 남기지 않을 만큼의 시간이다.
음식을 주문했다.
막국수가 먼저 나온다.
면의 탄력이 있고 맛이 좋다.
깻잎이 수북이 쌓여 있는 닭갈비가 나온다.
직원이 볶아 준다.
잘 익은 닭갈비를 먹는다.

18.귀가

2층 식당에서 바라보는 바깥에 풍경이 들어온다.
넓은 주차장에 버스들이 주차되어 있다.
관광객을 실어 나르는 듯하다.
남이섬 여행 제안을 받아들이길 잘했다.
섬을 잘 알고 있는 지인 덕에 많은 곳을 둘러보았다.

닭갈비로 마지막 식사를 했다.

'인생이 그렇다.'
만남이 있으면 헤어짐이 있다.
오던 길이 있으면 되돌아가는 길이 있다.

우리는 다시 혼자가 되었다.
각자의 집으로 향했다.

지인들과 함께 한 시간이 귀하고 감사하다.

에필로그

1박 2일 남이섬 여행
짧은 일정으로 여행을 했다.
남이섬은 가보고 싶은 곳이었다.
강변가요제를 했던 곳.
겨울연가 촬영지...
막연히 아름다울 것 같았다.
나는 그 유명한 섬을 처음 가보았다.
그 보상을 받는 듯 했다.
지인은 안내를 잘 해 주었다.
남이섬에서 할 수 있는 것을 해 보았다.
지인들의 살아가는 이야기
살아온 이야기.
불투명한 살아갈 이야기...
굽이굽이 굴곡지다.
세월이 흐른 후 이 추억이 어떨지 싶다.

1박 2일 남이섬 여행
2023 03 20춘분

남이섬 여행 1박2일

발 행 | 2024년 7월 10일
저 자 | 박수연
펴낸이 | 한건희
펴낸 곳 | 주식회사 부크크
출판사등록 | 2014.07.15.(제2014-16호)
주 소 | 서울특별시 금천구 가산디지털1로 119 SK트윈타워 A동 305호
전 화 | 1670-8316
이메일 | info@bookk.co.kr

ISBN | 979-11-410-9328-0

www.bookk.co.kr
1박2일 남이섬 여행